COLECCIÓN CLÁSICOS PARA NIÑOS

Principito, El

COLECCIONES

Belleza
Negocios
Superación personal
Salud
Familia
Literatura infantil
Literatura juvenil
Ciencia para niños
Con los pelos de punta
Pequeños valientes
¡Que la fuerza te acompañe!
Juegos y acertijos
Manualidades
Cultural
Medicina alternativa
Clásicos para niños
Computación
Didáctica
New age
Esoterismo
Historia para niños
Humorismo
Interés general
Compendios de bolsillo
Aura
Cocina
Inspiracional
Aprende y dibuja
Ajedrez

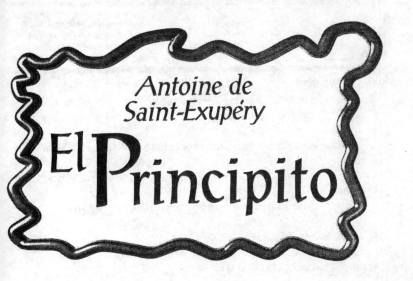

El Principito

Antoine de
Saint-Exupéry

SELECTOR
actualidad editorial

SELECTOR
actualidad editorial
Doctor Erazo 120 Colonia Doctores 06720 México, D.F.
Tel. 55 88 72 72 Fax. 57 61 57 16

EL PRINCIPITO
Adaptadora: Nélida Patricia Galván Macías
Colección: Clásicos para niños

Adaptación de la obra original: El principito de Antoine de Saint - Exupèry
Diseño de portada: Rosa Mónica Jácome Moreno y Sergio Osorio Sánchez
Ilustración de interiores: Carlos Eduardo Chávez Echevarría

D.R. © Selector, S.A. de C.V., 2001
    Doctor Erazo, 120, Col. Doctores
    C.P. 06720, México, D.F.

ISBN-13:978-970-643-391-6
ISBN-10:970-643-391-0

Trigésima Tercera reimpresión. Mayo 2014.

Sistema de clasificación Melvil Dewey

843
S19
2004   de Saint Exupèry, Antoine; 1900-1944.
          El principito / Antoine de Saint-Exupéry. —
          México, D.F.: Selector, S. A. de C.V., 2001.
          80 p.
          ISBN: 970-643-391-0

          1. Literatura 2. Narrativa. 3. Novela

Prólogo

El principito es un excelente relato escrito por Antoine de Saint-Exupéry, quien nació el 29 de junio de 1900 en la ciudad francesa de Lyon.

Como puedes ver, fue escrito por un hombre que nació a principios del siglo pasado y se llevó a cabo su primera publicación en 1943, muchísimo antes de que nacieras y antes de que nacieran tus padres, quizá cuando nacieron tus abuelos; sin embargo, es una obra universal y una joya de la literatura, esto quiere decir que aun hoy tiene la misma vida, la misma fuerza, como en el día en que fue escrita y no importa el tiempo que haya pasado. Fue pensada en los niños, inspirada en un niño que llegó hasta la imaginación de Antoine de Saint-Exupéry o tal vez realmente se conocieron en uno de los tantos viajes que hizo en su avión. Pues debes saber que también era piloto y llegó por el aire a inumerables países lejanos.

En esta obra encontrarás fragmentos de los textos del principito, y descubrirás momentos llenos de ternura, mensajes de humanidad maravillosos, fantasía y sencillez para que puedas apreciarlo en toda su magnitud.

A Léon Werth

Pido perdón a los niños por haber dedi-
cado este libro a una persona mayor.
Tengo una excusa importante: esta persona mayor es el mejor amigo que tengo
en el mundo. Tengo otra excusa: esta
persona mayor puede comprenderlo
todo, incluso los libros para niños. Tengo una tercera excusa: esta persona mayor vive en Francia pasando hambre y
frío. Tiene mucha necesidad de consue-
lo. Si todas estas excusas no son sufi-
cientes, quiero dedicar este libro al niño
que fue alguna vez esta persona mayor.
Todas las personas mayores fueron
antes niños. (Pero pocas de ellas lo re-
cuerdan). Corrijo entonces mi dedicato-
ria:

A Léon Werth
cuando era niño

Creo que el principito aprovechó una migración de pájaros silvestres para viajar.

Cuando tenía seis años vi una vez una magnífica estampa en un libro sobre la Selva Virgen, que se llamaba "Historias Vividas". Era sobre una serpiente boa que estaba devorando a una fiera.

niño

0   3 — 1011 12

bebé

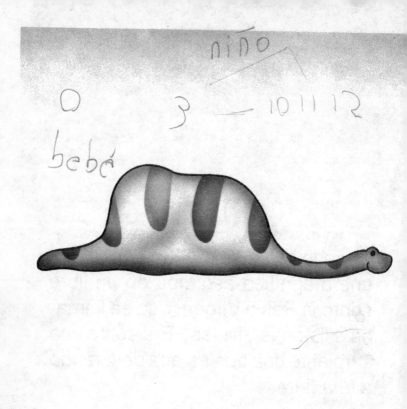

Reflexioné sobre las aventuras de la jungla y a mi vez pude, con un lápiz de color, trazar mi primer dibujo.

Mostré mi obra maestra a las personas mayores, y les pregunté si les daba miedo.

Me respondieron: "¿Por qué nos va a dar miedo un sombrero?" Mi dibujo no representaba un sombrero. Representaba una serpiente boa que digería un elefante. Entonces dibujé el interior de la serpiente, con el fin de que las personas mayores pudieran comprender.

Desilusionado abandoné, a la edad de seis años, una magnífica carrera de pintor y escogí el oficio de pilotear aviones.

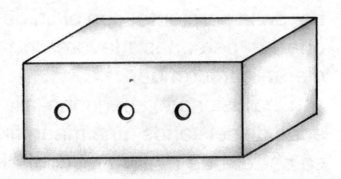

Un día se descompuso mi avión en el desierto del Sahara, estaba más solo que un náufrago.

Imagínense, pues, mi sorpresa cuando una curiosa vocecita me despertó. Decía: ¡Por favor..., dibújame un borrego!

Como no había dibujado nunca antes un borrego, rehice para él uno de los dos únicos dibujos que yo era capaz de hacer. El de la boa cerrada. Me quedé estupefacto al oírlo:

—¡No! Yo no quiero un elefante dentro de una boa.

Después de varios intentos me impacienté. Y le hice una caja; le dije que dentro de ella estaba el borrego.

Y así es como conocí al principito.

Necesité mucho tiempo para entender de dónde venía. El principito, que me hacía muchas preguntas, nunca parecía entender las mías.

¡Me di cuenta de que su planeta de origen era apenas más grande que una casa!

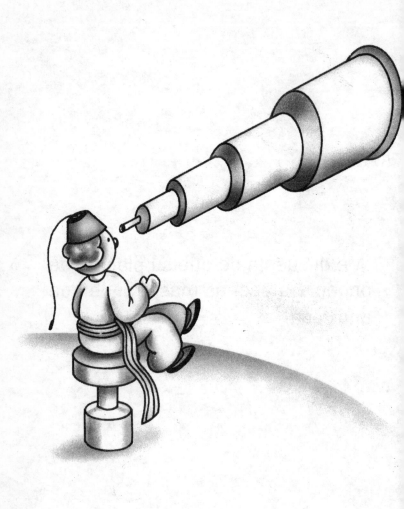

Tengo serias razones para creer que el planeta de donde venía el principito es el asteroide B 612. Este asteroide no ha sido visto más que una vez con el telescopio, en 1909, por un astrónomo turco, pero nadie le creyó.

Felizmente para la reputación del asteroide B 612, un dictador turco impuso a su pueblo, bajo pena de muerte, vestirse a la europea. El astrónomo rehizo su demostración en 1920, con un traje muy elegante y esta vez todo el mundo fue de su parecer. Si les he comentado estos detalles sobre el asteroide B 612, y si les he confiado su número, es a causa de las personas mayores.

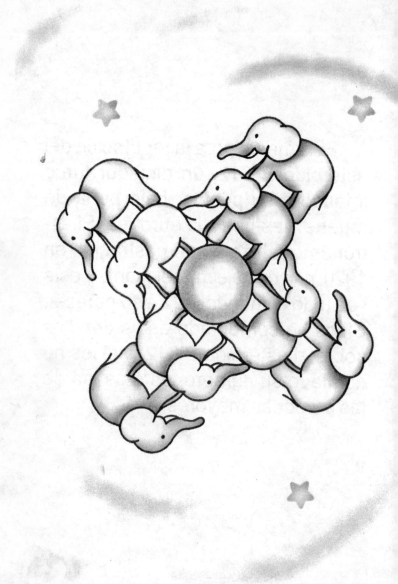

La prueba de que el principito ha existido es que era encantador, que reía, y que quería un borrego.

Cada día aprendí alguna cosa sobre el planeta, sobre la salida y el viaje. Al tercer día, conocí el drama de los baobabs.

No comprendí por qué era tan importante que los borregos comieran los arbustos. Pero el principito dijo:

—¿Comen también los baobabs?

Hice notar que los baobabs no son arbustos, sino árboles grandes como iglesias, tanto que si él llevara todo un rebaño de elefantes, este rebaño no acabaría ni con un solo baobab.

La idea del rebaño de elefantes hizo reír al principito.

Habría que ponerlos unos sobre otros...

Pero señaló con sagacidad:

—Los baobabs, antes de crecer, comienzan por ser pequeños.

—Exactamente.

Sobre el planeta del principito había, como en todos los planetas, hierbas buenas y hierbas malas. Consecuentemente, semillas de hierbas buenas y semillas de hierbas malas. Pero las semillas son invisibles.

Pero si se trata de una planta mala, hace falta arrancarla tan pronto como se haya podido reconocerla.

Si se trata de los baobabs, es siempre una catástrofe. Conocí un planeta habitado por un perezoso. Había descuidado tres arbustos... el peligro de los baobabs es tan poco conocido y los riesgos que correría el que se extraviase en un asteroide son tan grandes, que Digo: "¡Niños! ¡Cuidado con los Baobabs".

¡Ah!, principito, así comprendí poco a poco tu pequeña vida melancólica. Tú no habías tenido, en mucho tiempo, más distracción que la dulzura de las puestas de sol. Me di cuenta de este nuevo detalle el cuarto día en la mañana.

El quinto día, siempre gracias al borrego, el secreto de la vida del principito me fue revelado. Me preguntó con brusquedad, sin preámbulo, como el fruto de un problema meditado en silencio, largo tiempo:

—Un borrego, si come todo los arbustos, ¿come también las flores?

—Un borrego come todo lo que encuentra.

—¿Aun las flores que tienen espinas?

—Sí, aun las flores que tienen espinas.

—Entonces, ¿para qué les sirven las espinas?

Él se enojó mucho cuando le dije que era vanidad de ellas.

Yo mismo conozco una flor, única en el universo, que no existe en ninguna otra parte, salvo en mi planeta.

El principito quedó prendado de la belleza de la flor que creció en su planeta y la cuidaba siempre.

Un día la flor le dijo al principito que ella tenía garras para defenderse de los tigres. El principito le respondió que en su planeta no había tigres y que además ellos no comen hierbas:

—Yo no soy hierba— respondió dulcemente la flor.

—Perdóname...

—No tengo ningún miedo a los tigres, pero sí tengo horror a las corrientes de aire. ¿No tendrás un biombo?

"Horror a las corrientes de aire..., qué suerte de planta —hizo notar el principito—. Esta flor es muy complicada..."

—En la tarde, me pondrás bajo una campana. Hace mucho frío en tu casa.

La mañana de su partida, puso en orden su planeta. Con mucho cuidado quitó el hollín a sus volcanes en actividad. Poseía dos volcanes en actividad, lo cual resultaba muy cómodo para calentar el desayuno de la mañana. Poseía también un volcán extinguido. Pero, como decía: "¡Uno nunca sabe!" Luego quitó el hollín también al volcán extinguido.

El principito arrancó también, con un poco de melancolía, los últimos brotes de los baobabs. Creía que nunca regresaría. Le dijo adiós a su flor y se fue.

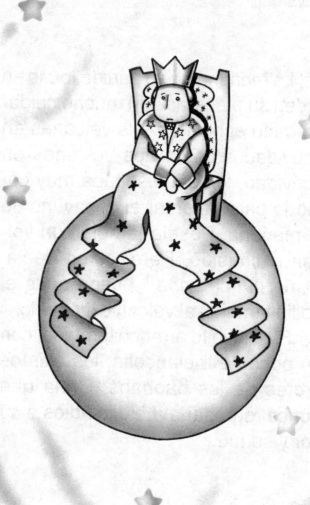

LLegó a un asteroide habitado por un rey sentado, vestido de púrpura y armiño. Después de dar órdenes, decretos y prohibiciones el rey le dijo al principito que él se dedicaba a dar órdenes razonables como el de ordenar a las estrellas que aparecieran pero se los ordenaba por la noche para que lo obedecieran.

Es preciso exigir a cada uno lo que cada uno puede dar —replicó el rey—. La autoridad descansa ante todo en la razón. Si ordenas a tu pueblo tirarse al mar, hará la revolución. Tal poder maravilló al principito.

El segundo planeta estaba habitado por un vanidoso.

—¡Ah! ¡Ah! ¡He aquí la visita de un admirador! —exclamó de lejos el vanidoso, cuando vio al principito. Pues para los vanidosos los otros hombres son admiradores.

El siguiente planeta estaba habitado por un bebedor.

—¿Qué haces tú ahí? —le dijo al bebedor, al que encontró instalado en el silencio, ante una colección de botellas vacías y una colección de botellas llenas.

—Bebo —respondió.

—¿Por qué bebes? —le preguntó el principito.

—Para olvidar —respondió.

—¿Para olvidar qué?

—Para olvidar que tengo vergüenza —confesó el bebedor bajando la cabeza.

—¿Vergüenza de qué? —preguntó el principito.

—¡Vergüenza de beber! —terminó el bebedor, que se encerró definitivamente en el silencio.

El cuarto planeta era el de un hombre de negocios. Este hombre estaba tan ocupado que ni siquiera levantó la cabeza a la llegada del principito.

El quinto planeta era muy curioso. Era el más pequeño de todos. Tenía justamente lugar para alojar un farol y al farolero, es decir, al encargado de apagarlo y prenderlo. El principito no alcanzaba a explicarse para qué podría servir en alguna parte del cielo, sobre un planeta, sin casa ni gente, un farol y el que enciende los faroles. Sin embargo, se dijo a sí mismo:

—Puede ser que este hombre sea absurdo. Pero tal vez menos absurdo que el rey, que el vanidoso, que el hombre de negocios y que el bebedor. Por lo menos su trabajo tiene sentido.

El sexto planeta era un planeta diez veces más grande. Estaba habitado por un anciano que escribía en libros enormes.

—¡Vaya! ¡He aquí un explorador! —exclamó cuando vio al principito.

El principito se sentó sobre la mesa y tomó aliento. ¡Había ya viajado tanto!

Era un geógrafo. Sin embargo, nunca había conocido más allá de su escritorio y esperaba a los exploradores para que le informaran. Él fue el que le habló sobre el planeta Tierra.

El séptimo planeta fue, pues, la Tierra.

¡La Tierra no es un planeta cualquiera! Se cuentan allí ciento once reyes (sin olvidar por supuesto los reyes negros), siete mil geógrafos, novecientos mil hombres de negocios, siete millones y medio de borrachos, trescientos once millones de vanidosos, es decir, alrededor de dos mil millones de personas mayores.

El principito, una vez sobre la tierra, se sorprendió de no ver a nadie. Y ya tenía miedo de haberse equivocado de planeta cuando un anillo color de luna se movió en la arena.

Era una serpiente.

—¿Sobre qué planeta he caído? —preguntó el principito.

—Sobre la Tierra, en África —respondió la serpiente.

—¡Ah!... ¿Y no hay nadie sobre la Tierra?

—Aquí es el desierto. No hay nadie en los desiertos. La Tierra es grande —dijo la serpiente.

El principito se sentó sobre una piedra y levantó los ojos al cielo. Después de mucho hablar con ella, se fue.

Luego el principito subió a una montaña alta. Las únicas montañas que él había conocido eran los tres volcanes que le llegaban a la rodilla. Y hacía uso del volcán apagado como de un taburete. "De una montaña alta como ésta —se dijo entonces— vería de golpe todo el planeta y todos los hombres..." Pero no vio nada.

—Buenos días —dijo por si acaso.

—Buenos días... Buenos días... Buenos días... —respondió el eco.

—¿Quién eres?... ¿Quién eres?... —respondió el eco.

—¡Qué extraño planeta, los hombres carecen de imaginación!

Pero aconteció que el principito, habiendo caminado largo tiempo a través de las arenas, las rocas y las nieves, descubrió al fin un camino. Y los caminos todos van hacia los hombres.

—Buenos días —dijo.

Era un jardín florido, de rosas.

—Buenos días —dijeron las rosas.

El principito las miró, todas se parecían a su flor.

—¿Quiénes son? —les preguntó estupefacto.

—Somos rosas —dijeron las rosas.

—¡Ah! —dijo el principito.

Y sintió tristeza porque su flor no era la única de su especie en el Universo.

Entonces apareció el zorro:

—Buenos días —dijo el zorro.

—Buenos días —respondió cortésmente el principito, que se levantó pero no vio nada.

Luego el zorro le pidió al principito ser domesticado. El principito no conocía el significado de esas palabras y aun cuando le explicó él no entendió.

—¿Qué significa domesticar?

—Si tú me domesticas, entonces tendremos necesidad uno del otro. Serás para mí único en el mundo. Y yo seré para ti único en el mundo.

Así, el principito domesticó al zorro. Y cuando se aproximó la hora de la partida:

—¡Ah!... —dijo el zorro— lloraré.

El principito seguía sin entender por qué el zorro quería ser domesticado y, sin embargo, sufría por ello.

El zorro le explicó que era como un ritual; como cuando se encuentra con su cazador, él sabe que si hacen otras cosas, como una fiesta, entonces es un día maravilloso. Es hacer con el otro un lazo irrompible. Y dijo:

—Vuelve a ver las rosas. Comprenderás que la tuya es única en el mundo.

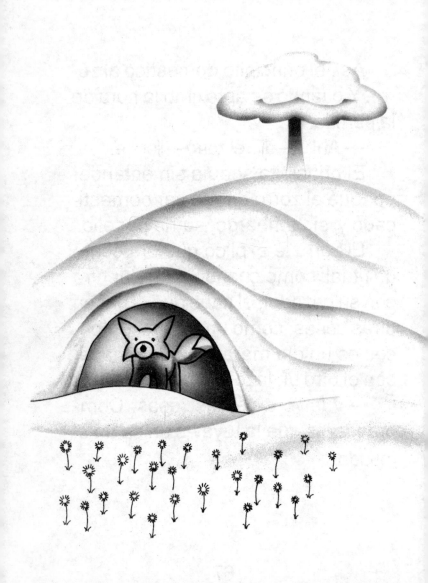

Luego se despidieron y el zorro dijo:

—Sólo se ve con el corazón. Lo esencial es invisible para los ojos.

—Lo esencial es invisible para los ojos —repitió el principito, con el fin de acordarse.

Nos encontramos en el octavo día en el desierto a causa de la avería en mi avión y yo había escuchado las historias, bebiendo la última gota de mi provisión de agua.

El principito me llevó hasta un pozo y no se parecía a los pozos que hay en el desierto del Sahara, pues ahí son simples agujeros abiertos en la arena. Éste parecía un pozo de aldea, pero no había ninguna aldea.

Se rió, tomó la cuerda e hizo trabajar la polea. Y la polea gimió, como gime una vieja veleta cuando el viento se ha dormido por mucho tiempo.

Luego, el principito me dijo que había llegado el momento de su partida, cuando quise preguntarle algo, el principito se ruborizó, no contestaba nunca las preguntas, pero cuando uno se ruboriza, eso significa «sí» ¿no es cierto?

Había al lado del pozo la ruina de un viejo muro de piedra. Cuando volví de mi trabajo, la tarde del día siguiente, vi a lo lejos a mi principito, sentado en lo alto con las piernas colgando y oí que hablaba.

Sí, hablaba con la serpiente y de cómo al picarlo le ayudaría a irse a casa.

Mientras registraba la bolsa para sacar mi revólver, apreté el paso, pero, con el ruido que hice, la serpiente se dejó resbalar delicadamente en la arena, como un chorro de agua que se extingue, y, sin correr demasiado, se deslizó entre las piedras, con un ligero ruido metálico.

El principito hacía justo un año que había llegado a la Tierra y esperaba que su estrella se viera en el mismo lugar que cuando llegó. Y así poderse ir.

Me tomó de la mano y expresó con honda preocupación:

—No debiste venir, sufrirás porque parecerá como si estuviera muerto y no será verdad...

Yo callé.

Eso hace ya seis años... Aún no he contado nunca esta historia. Los compañeros que me han visto de nuevo están contentos de verme con vida. Yo me sentía triste, pero les decía: "Es la fatiga..."

Él desierto es para mí, el más bello y el más triste paisaje del mundo. Es aquí donde el principito apareció sobre la Tierra y donde luego desapareció.

Esta edición se imprimió en Mayo 2014. Impre Imagen, José María
Morelos y Pavón Mz 5 Lt 1 Col. Nicolás Bravo Ecatepec Edo. de Mex.